도종환 시

1954년 충북 청주에서 태어나, 충북대 사범대 국어교육과를 졸업했습니다. 충남대에서 박사학위를 받았습니다.
신석정문학상, 정지용문학상, 윤동주상 문학부문 대상, 백석문학상 등을 수상했고, 2006년 세상을 밝게 만든 100인에 선정되기도 했습니다.
현재는 제21대 국회의원으로 활동하고 있습니다.
자연을 인간처럼 이해하고, 인간을 자연처럼 이해하는 시인으로 알려진 그의 시와 산문에서 자연과 인간에 대한 깊고 맑은 통찰의 눈을 바라볼 수 있습니다.
시집으로 《접시꽃 당신》, 《흔들리며 피는 꽃》, 《해인으로 가는 길》, 《세시에서 다섯시 사이》 등이 있으며, 산문집으로 《사람은 누구나 꽃이다》, 《그대 언제 이 숲에 오시렵니까》, 《너 없이 어찌 내게 향기 있으랴》 등이 있습니다. 동시집 《누가 더 놀랐을까》, 동화 《나무야, 안녕》, 그림책 《도종환 시인의 자장가》, 《병아리 싸움》 등을 냈습니다.

김재홍 그림

인간과 자연을 주제로 그림책 작업을 하고 있습니다.
쓰고 그린 그림책으로 《동강의 아이들》, 《숲 속에서》, 《로드킬-우리 길이 없어졌어요》가 있고,
그린 그림책으로 《엄마가 섬 그늘에 굴 따러 가면》, 《영이의 비닐우산》, 《아가 마중》, 《무지개》, 《우리 가족이 살아온 동네 이야기》, 《송아지 내기》, 《똥 자 들어간 벌레들아》, 《너 제주도에 있니?》, 《고향으로》, 《구름》, 《엄마의 품》 등이 있습니다.
그린 동화책으로 《쌀뱅이를 아시나요》, 《고양이 학교》, 《도들마루의 깨비》, 《무옥이》, 《반지 엄마》, 《금단현상》, 《숨 쉬는 책 무익조》 등이 있습니다.
《동강의 아이들》로 에스파스앙팡상을, 《고양이 학교》로 앵코륍티블상을, 《영이의 비닐우산》으로 BIB어린이심사원상을 수상했습니다.

안선재(앤서니 수사, Brother Anthony of Taizé) 번역

영국에서 태어나 옥스퍼드대학교에서 학위를 받고, 1985년부터 서강대학교 영문과 교수로, 현재는 서강대학교 명예교수로 재직하고 있습니다.
1994년에 우리나라로 귀화했으며, 대한민국문학상 번역부문 대상, 대산문학상 번역상, 한국펜클럽 번역상을 수상했고, 2008년 옥관문화훈장을 받았습니다.
고은 시인의 《만인보*Ten Thousand Lives*》와 《화엄경*Little Pilgrim*》 등 30권이 넘는 한국 시와 소설을 영문으로 번역했습니다.

동물 농장

Animal Farm

1판 1쇄 | 2021년 5월 10일

시 | 도종환
그림 | 김재홍
번역 | 안선재(Brother Anthony of Taizé)

펴낸이 | 박현진
펴낸곳 | (주)풀과바람
주소 | 경기도 파주시 회동길 329(서패동, 파주출판도시)
전화 | 031) 955-9655~6
팩스 | 031) 955-9657
출판등록 | 2000년 4월 24일 제20-328호

홈페이지 | www.grassandwind.co.kr
이메일 | grassandwind@hanmail.net

편집 | 이영란
디자인 | 박기준
마케팅 | 이승민

값 12,000원
ISBN 978-89-8389-901-9 77810

※ 잘못 만들어진 책은 구입처에서 바꾸어 드립니다.

동물 농장

시 도종환 · 그림 김재홍

바우솔

엄마 잃은 산토끼 데려다

방 안에서 키우다가
짝 만들어 내보내 주었더니

자고 나서 심심하면
방에 들어와 논다

방문이 닫혀 있으면
문을 발로 긁는다

처음엔 주저하던 제짝도
데려와 같이 논다

굽도리도 찢고 장판지도 찢고

책은 봐서 뭐 하냐는 듯
책 모서리도 갉아놓고
오줌도 싸놓는다

그래도 크게 혼내지 않고
그냥 내버려 두었더니

닭들도 툭하면 들어온다

너희는 안 된다고
몰아내려 했더니

토끼는 되고 우리는
왜 안 되냐는 듯
막무가내다

안 나가려고
이리저리 도망치며
날개를 푸드덕거리는
닭들을 내쫓고

토끼 똥 닭똥 치우는데

툇마루에서 다람쥐란 놈이
그 모습 빤히
쳐다보고 있다

다람쥐 너도?

Animal Farm

I rescued a hare that had lost its mom,
raised it indoors,
found it a mate and set it free.
If it's bored after sleeping
it comes insideto play.
If the door is closed
it scratches at the door with its paws.
Its mate hesitated at first
but now comes in to play too.

It tore the paper lining the wall and the floor,
Then seeing a book, unsure what it was,
it nibbled the corners of the book,
enjoyed a pee.

But I didn't really scold it,
just left it alone
but when chickens came in too

I said, not you
and tried to drive them out
but they said they'd become rabbits
so what was the problem?

I drove out the chickens
that stubbornly
refused to go,
running back and forth,
flapping their wings, then
swept up the rabbit and chicken droppings.
On the back porch a squirrel
was watching
closely.
Squirrel, you too?